Birgit Maria Susewind • Tausend Gesichter des Ewigen

Birgit Maria Susewind

Tausend Gesichter des Ewigen

Poesie

AUGUST VON GOETHE LITERATURVERLAG

IM GROSSEN HIRSCHGRABEN ZU FRANKFURT A/M

Das Programm des Verlages widmet sich
– in Erinnerung an die
Zusammenarbeit Heinrich Heines
und Annette von Droste-Hülshoffs
mit der Herausgeberin Elise von Hohenhausen –
der Literatur neuer Autoren.
Das Lektorat nimmt daher Manuskripte an,
um deren Einsendung das gebildete Publikum
gebeten wird.

Ein Unternehmen der Holding
FRANKFURTER VERLAGSGRUPPE
AKTIENGESELLSCHAFT AUGUST VON GOETHE
In der Straße des Goethehauses/Großer Hirschgraben 15
D-60311 Frankfurt a/M
Tel. 069-40-894-0 ✱ Fax 069-40-894-194
email: info@frankfurter-literaturverlag.de

Medien und Buchverlage
DR. VON HÄNSEL-HOHENHAUSEN
seit 1987

Websites der Verlagshäuser der Frankfurter Verlagsgruppe:

www.frankfurter-verlagsgruppe.de
www.frankfurter-literaturverlag.de
www.frankfurter-taschenbuchverlag.de
www.august-goethe-literaturverlag.de
www.fouqué-literaturverlag.de
www.weimarer-schiller-presse.de
www.deutsche-hochschulschriften.de
www.deutsche-bibliothek-der-wissenschaften.de
www.haensel-hohenhausen.de

Bibliografische Information Der Deutschen Bibliothek
Die Deutsche Bibliothek verzeichnet diese Publikation in der Deutschen
Nationalbibliografie; detaillierte bibliografische Daten sind im Internet
über http://dnb.ddb.de abrufbar.

Satz und Lektorat: Dr. Helga Miesch
ISBN 978-3-86548-951-7
ISBN 978-1-84698-803-5

Gedruckt auf säurefreiem, alterungsbeständigen Papier,
hergestellt aus chlorfrei gebleichten Zellstoff (TcF-Norm)

Printed in Germany

An die Freunde der Erde

* * *

gewidmet Martha Wegjan

Die Verehrung des Göttlichen
und Verherrlichung der Schöpfung
sind die wahre Natur des Menschen,
sein Gottesdienst
ist das heilige Amt der Liebe.

* * *

Frühlingsgedichte

Frühlingsdéjà-vu

Die Märzsonne läßt
des Sees zitternden Spiegel springen,
zu schroffen Scherben zerbricht das Marmorporzellan,
des kühlen Teiches kalte Kachel.

Berstend versinkt
des Wintergartens gläsernes Haus,
darin die Eisblumen blühen
in sich regender Welle;
schmelzender Zauberflor
des filigranen Frühlingsdéjà-vu.

An des Schattens
verharschten Strand errettet sich
die arktische Arche der Alabasteranemonen,
von leblosen Blüten
der bleiche Bug geziert,
bis der Sonne Lenzenliebe,
am Morgen erwachend,
die sterbliche Flotte der Endlichkeit entküßt;
daß wieder balzende Schwanenpaare,
wie alle Jahre unbeschwert
die seegrünen Küsten umsegeln,
alsbald die graue Brut im Kiel,
die als des Sees künftige Infanten,
den Metamorphen Gezeiten enttauchend,
mit weißen Segeln
auf blauen Wogen schimmernd,
dem Sommer entgegengleiten.

Märzenpoesie

Der Frühling wartet auf,
mit der süßesten der Sonnen,
die mit heiterem Lächeln,
die wintermüde Last
von Wald und Auen küßt.

In Verehrung für den jungen März
verschenkt der scheidende Winter
seine letzten Blumen aus Eis,
die verblassen in des Teiches blindem Spiegel.

Der Fürst der Kälte verbannt,
geschickt in des Lenzes Acht,
für der Sternzeichen halben Kreis,
in des ewigen Eises Exil.

Die ersten Schneeglöckchen
läuten den Frühling ein.
Der Winterling steckt zum Gruße
den gelben Stern an den Hut.
Violette Krokusse
öffnen die schlanken Krüge.

Ein erster Falter zittert herab,
unberührbar und verletzlich,
dem Irrlicht der frühen Sonne folgend,
lieblich wie die Blüte der gelben Viola,
die dem Froste trotzend
wohl heimlich selbst zum Schmetterling ward.

Ihr dunkles Geschwister,
die Inkarnation des Königsblau,
hält sich bedeckt,
die Blütenblätter wie zum Gebet gefaltet,
ein blühender Schatten der Nacht.

Märzensinfonie der Farben
in warmen Sammettönen.
Die prächtige lila Hyazinthe
entsteigt der kalten Erde
des grünen Stammes Dolde
mit duftenden Sternen besteckt.

Der Tulpen leuchtende Pokale
flammen auf in der Abendglut,
wie der rote Gral des Frühlings,
von feurigem Lavalicht
der sinkenden Sonne gefüllt.

Auf grauem Wolkenteppich
schlägt der Mond sein Nachtlager auf,
funkelnde Sterne beleuchten mild
die Straßen der Unermeßlichkeit,
wo unsterblich die Seelen wandern,
von Ewigkeit zu Ewigkeit.

* * *

Aprilpoem

Die Tulpenbecher des Magnolienbaums
wie von rosenem Wachs getöpfert,
Pokale mit dem Hauch von Palisander.
Kelche so rein für Elfenmilch aus Morgentau,
umkränzt von jadegrünen Blätterschärpen,
umschauert von Schnee und Apfelblüten,
ein Zauber im Spiel des Windes.

„Die weinende Braut“
und zu früh gekrönte Gartenkaiserin,
des Nachts zart bereift von glitzernden Kronjuwelen,
von tränenden Herzen umringt,
verhüllt von smaragdnen Frauenmänteln,
wird zum Maientor geführt.

Die jungfräulich scheue Spirenmaid,
die so süß umweht von weißen Schleiern,
wird sanft durch des Lenzes Liebe
im Aprilschauer kühl getauft.

Lavendel,
der duftende Truchseß des Rosenthrons,
dient noch blütenlos
als das Rauhgras der Provence,
zum Schutze vor Frost,
am Fuße der zarten Floribunda.

Der Strauch des wilden Cassis,
von Wettern unberührt,
ein betörendes Aroma,
ein Rausch von cyclamen Dolden.

Der Morellenflor von reinster Weiße,
umtüllt die greise Kirschenkrone,
zier gekraust zu Alabasterrüschen.
Die wilden Apfelbäume blüh'n
wie von rosenen Faltern umflattert.

Über Täler und Hügel breitet der Lenz
den malachitnen Gobclin,
in die grünen Maschen gewebt
das glitzernde Sonnengarn,
durchwirkt von Löwenzahn,
Melde, Miere und Ackerhornkraut.

An die Rinnsalraine geknüpft,
die dottergelben Sumpfblumenbroschen,
von des Baches silberner Welle umblitzt.
Des Ranunkelbuschs goldene Sonnenbälle
taumeln leuchtend in den Zweigen.

Die Aue versinkt
in violetter Flut des Wiesenschaums.
Ein Meer von Raps wogt im Wind
wie des Frühlings gelbgrüne Fahne,
duftend wie bittersüße Limonengischt,
über Wiesenufer schäumend.

Die Abendsonne sinkt matt,
wie ein ergrauender Topas,
in des Tages dämmernden Schatten.
Der Lichtmond öffnet das goldene Visier,
schimmernd wie ein kosmischer Citrin.

Tief im göttlichen Schlaf
ruht nun die Schönheit unerkannt,
bis in abertausend Tauperlenspiegeln,
erneut wie seit Ewigkeiten,
die Morgensonne errötend
sich im Wiederschein erblickt.

* * *

Über Nacht kam heimlich
ein leiser Bote des Frühlings,
zärtlich und süß,
wie ein scheuer Verwandter der Verliebtheit,
mit bescheidenen Blumensträußen
von Krokus, Schneeglöckchen und Winterling.

* * *

Abschiedsgeschenk der Sonne

In grünem Gold leuchtet der Abendwald;
Abschiedsgeschenk der Sonne
an die Dämmerung des Maientags.
Ein rauher Wind,
wie ein später Hauch des Aprils,
streut Fliederwische ins Gras;
sie duften süß umher,
zwischen Löwenzahn,
Steinbrech und Männertreu.
Die Nacht raubt das Gold der Blätterkronen,
wie zu mehren den Hort des Mondes,
den Schatz der abertausend Sterne.

Die Rose wahrer Liebe welkt im Abendrot,
am Ende des Lebenstages,
Tränen weinend von Tau,
um in den Gärten des Schlafes
unsterblichen Duftes zu blühen
im friedvollen Traume ewiger Schönheit.

* * *

Shangrila

Liebliche Leichtigkeit
entsteigt den Blumenphiolen,
durchwölkt den heiteren Garten,
jenen heiligen Ort Shangrila.

Jene namenlose
glückbeseelte Heiterkeit,
die mit zartem Duft,
einer Rose gleich, den Tag durchströmt.

Niedliche Frühlingsgebinde
aus seidigem Anemonengeflecht,
weiten das Blütenherz
dem milden Sonnenlicht.

Fröhliche Farbenzier betupft die Wiese
und erste Schmetterlinge schweben herein,
auf des Lenzes lindem Hauch,
vergänglichstes Geschmeide,
aus Seide und Schönheit dahingeträumt,
das Sammet und Blattchiffon geschilderte Geflügel.

Stern- und Blütenstaub behaftet,
flattern die Unberührten auf und nieder,
über duftbetörenden Blumenkelchen.
Friedvolle Stille dehnt sich aus,
durch der Amsel frohen Sang vertieft.

Des Lichtes strahlende Königin
belächelt sanft die friedvolle Aue,
zu ermuntern den schlafbetrunkenen Frühlingsflor.

Blasse Röte steigt
in die erwachenden Rosengesichter,
die Sonnenstrahl gestreichelt
die verschlossenen Knospen öffnen,
unter dem magischen Stigma der Schönheit.

Beschaulich verschimmert der Frühlingstag,
in altrosenen Wellen
wogt das himmlische Abendmeer.
Der Sonne verglimmende Wange
schmiegt sich schläfrig
in der Wolken kuschelige Kissen.

* * *

Der schmerzlich vermißte Freund

Das Morgenrot schickt
die grauen Boten der Dämmerung aus,
wie Schatten des Scheines göttlichen Feuers.

Sanfter Regen tauft die Auen,
heiter spannt die frühe Sonne
den Regenbogen übers Tal,
feierlich zieht der Lenz
über die bunte Frühlingsbrücke.

So kehrt er also wieder,
jener schmerzlich vermißte Freund
nach langer Winterfrist
und des Wartens ohne Trost,
mit mitleidsvoller Macht
die Natur zum Wiederleben weckend.

Die Wiese birgt im maigrünen Schoße
der Himmelschlüssel goldene Bündel,
Alabasterdeckchen von Buschwindröschen
besticken den junge Flor,
smaragdgrüner Gräserspitzen
mit zierlichen Sternen wilder Anemonen.

Die Gärten erwachen aus dem Winterschlaf,
voll Sehnsucht nach Unsterblichkeit
und dem lieblichen Duft der Rosen.
Nun vergeht der Tod
wie ein Makel des Wissens
am Wesen der Liebe.

Mit duftenden Veilchen bestreut der Lenz
das Liebeslager am Fuße der Bäume.
In milder Maienluft
treiben Gespinste winziger Blüten
wie ein zarter Hauch von Seide und Schnee,
vom Wind den Schlehenhecken entpflückt,
die am Feldesrand
wie Schaum von Sternen wogend rauschen.

Nun entwächst die Seele
liebend dem Vergänglichen,
voll heiterer Wonne,
im Zauber des Frühlingserwachens.

* * *

Pilgerpfade des Frühlings

Sträucher, Bäume,
Gläubige und Blumen
streuen Blüten auf die Pilgerpfade des Frühlings.
Ein weißer Teppich der Natur,
auf den geheiligten Wegen der Prozessionen.

Zarte Perlgräser wogen
in des Waldes gebrochener Sonnenflut,
die Stämme der Bäume schmuckvoll umwunden,
von goldenen Schärpen
aus des Lichtes zitternden Schatten.

Kreuzweg durch den Spessart,
nachempfundener Leidensweg des Heilands.
Gedämpfter Himmel
unter den grünen Speichern,
laubigen Erkern und Gauben
der Eichen, Birken und Buchen.

Die Seele übergibt ihre Tränen
dem Troste der Blumen,
die ihr entgegenlächeln an Regentagen.

Christus,
die überwältigende Begeisterung
einer Liebe für die Menschen,
wie das Feuer unendlich tiefer Sehnsucht,
bedingungslos,
aus der Ruhe eines göttlichen Herzens.

Die Schöpfungsvision des vollkommenen Menschen,
Wahrheit geworden,
in Schönheit, Liebe und Unsterblichkeit,
kehrt die Lüge der Dunkelheit,
in die Wahrheit des ewigen Lichts.

* * *

Sommergedichte

August

Die gelben Sonnenräder des Augustes
auf dem Felde stehen still,
bis das erwachende Antlitz des Lichtes
beginnt sie im Tanze zu drehen;
den Blick im Herzen der Sonne,
folgt der Blumenreigen ihrem Lauf.

Im Garten blüht
die Zartheit weißer Cosmeen,
duftender Lilien von Alabaster
und seidener Petunien, rot wie Blut;
ein flatterndes Schmetterlingsbouquet,
erzitternd im Sonnenwind.

Wicken, Wein und Winden
erklimmen eilig Zäune und Spalier.

Rauh rauschen ergraute Roggenruten,
die reifen Weizenähren,
wie aus ockernen Flachsen geflochtene Zöpfe,
der gelbfalbe Hafer nickend,
über des Halmes Spindel gekrümmt,
der beigen Gerste gespreizte Dolden,
schwer vom Golde sich neigender Ähren,
auf den lehmroten Feldern,
unter staubigem Sommerblau.

Wolken und Himmel spiegeln sich
in des Baches blitzendem Diaphan.

Das vollkommene Glück der Liebe
umgibt die Natur mit göttlicher Poesie,
wie eine Rose,
die vom Sonnenlicht verzaubert,
zu duften beginnt,
in betörender Schönheit.

* * *

Wonnenacht der Liebe

Wonnenacht der Liebe,
das kobaltblaue Sommervlies
mit Sternenbrokat bestickt,
die sommerlinde Luft
erfüllt von zirpenden Zikaden.

Die Seele träumt berauscht,
den Traum der ewigen Schönheit,
von der Blumen duftenden Schatten umwittert.

Der Glühraupen glimmende Elfenfunken
schwimmen schimmernd durchs Gebüsch;
leuchtend bewachen die Blumenwächter,
mit winzigen Laternen
den schläfrigen Rosenhag.

Eine Regenwolke wirft warm
eine Handvoll Heller aufs Land,
die wie glänzende Schindeln
im Mondlicht haften,
an der Spinnzelte zittrigen Zinnen,
ihrer Windräder flatternden Speichen.

An Perlschnüren schwingen sich
glitzernde Tropfen herab,
ihr Wasser dem Leben zu weihen.
Des leisen Regenliedes mystische Schöpfungsmusik
summt durch die Stille der Nacht,
lieblich rauschend durch Blätterkronen,
der Tropfen raunendes Wasserspiel.

Nun keimt die Saat unter göttlichen Tränen,
es wächst die Frucht,
einzulösen das Ernteversprechen,
als höchste Gabe der Erde.

* * *

Sanfter Nachtwind des Septembers

Nachtwind umschmeichelt die Rosen,
ihrem Schlummer süße Düfte entlockend,
wie ein zärtlicher Gefährte des Sommers,
aus dem ewigen Atem der Unendlichkeit.

Mit unsichtbarer Hände Lüften
ihre Seidenwangen zitternd umschließend,
mit dem Hauch des Liebeskusses
zu trocknen die Tränen des Dämmertaus.

Wie sanfter Nachtwind des Septembers
webt die Seele unsterblich,
von Endlichem unberührt,
sich sehnend nach dem Göttlichen,
dem Paradiese
vor den Toren der Sterblichkeit,
nachtgeneigt und tagbefangen
von tiefem Liebeszauber,
der von Wünschen frei,
der Seligkeit des Herzens lauscht.

Des Mondes goldenes Amulette,
der leuchtende Talisman des Lichts,
erinnert Nacht für Nacht
an den ersten Tag,
da aus dem Nichts der Unermeßlichkeit
die Sonne der Schöpfung stieg.
Die ewige Nacht ward zum Tag,
zur Offenbarung aller Schönheit.

* * *

Herbstgedichte

Die himmlischen Gezeiten

Noch säumt der Morgen
hinter grauen Schleiern nächtlicher Träume.
In samtenes Rosenlicht getaucht,
das Brautgemach der Morgensonne,
daraus sie lächelnd erwacht.

Die lichtblaue Kaiserwinde hißt
in lauer Luft die letzten Azurensegel.
Winzige Taumurmeln,
wohl heimliche Tränen des Herbstes,
säumen die seidenen Trichter,
die glitzernden Kettchen,
um der Schirme Spitzen gespannt.

Das kletternde Rosenkleid
setzt unermüdlich
burgunderrote Hüte auf,
mit zierlichen Schlingen
die dornige Schwester umspielend,
die blasse Rosenmajolika
ihrer porzellinen Blüten erheiternd.

Schneeheiden, Kreuzblatt und Silberkörbchen
schimmern wie von frühem Reif behaucht.
Herbstastern öffnen die weißen,
gelben und brünetten Sterne.
Aureliens Lächeln bricht sich morgenschön
in betauten Elfenspiegeln.

Bernsteinbuchen schimmern,
erdbraun rostet der Eiche knittriges Laub.
Feldahorn wirft den gelben Mantel um,
zu strahlen vor grauer Wolkenfront.

Die Oktobersonne lächelt golden,
mit der milden Wonne des verklärten Sommers.
Silberpappeln glänzen kühl wie frühe Winterboten,
ruhelos flattern bereifte Espenflügel.

Die zimtnen Zipfel der Lärchen
überragen die blaugrünen Tannenpagoden.
Die Eberesche hat leuchtend korallene Gebinde
aus Bitterbeeren aufgesteckt.

Die Trauerbuche neigt ihr bronzenes Haupt.
Birken schütteln unentwegt
falbe Herzen aus schütteren Schürzen,
der Roteiche Blätter funkeln
wie gezackte Zungen von Drachenblut.

Purpurne Rosenseelen
entschweben ins Abendrot.
Goldene Luft,
wie der letzte Atemzug des Tages,
verliert sich am Horizont,
der Schwelle zur Unendlichkeit.

Sonne und Mond,
die Inseln des Lichts,
pendeln ewig zwischen Tag und Nacht,
den himmlischen Gezeiten.

* * *

Erinnerung an den Sommer

Friedvoll ruht der stolze Wald,
in königlicher Würde,
von seligem Schweigen umschlossen,
der mystischen Aura der Stille.

Des Herbstes schwebende Nebelschleppe
umwogt mit trüber Regenmelange,
die prangenden Fichten und Tannen,
die im Kreise die Lichtung umstehen
wie Mönche im grünen Ornat.

Das Echo von Liebesweisen
und Nestgesängen der Schwalben
schwebt noch in den Lüften.

Die silberne Morgenwiese,
ein funkelnder Sonnengral,
betaut von Elfenglanz.

Schönheit regiert
als ästhetisches Prinzip der Schöpfung.
Das Herz belauscht den Herbst,
in den herrlichen Gärten der Schönheit,
die verzaubert vom Dufte alter Rosen,
erfüllt von Erinnerungen,
an den heimlich vergangenen Sommer.

* * *

Das allherbstlich wiederkehrende Gleichnis

Des Oktoberwaldes leuchtende Brokattiaren,
des vergoldeten Feldahorns flackernde Flammen,
wie das allherbstlich wiederkehrende
Gleichnis des brennenden Dornbuschs.

Die sinkende Sonne erleuchtet die Buche,
zur strahlenden Lichtkathedrale.
Die windumspielten Pappeln rauschen
wie prasselnde Feuersäulen.

Der Bäume bunte Kronenkörbe
von goldenem Sonnenbast umflochten.
Schöpfungsparadies der Natur
und heiliges Land der Liebe.

Sehnsucht durchstreift
auf der Suche nach Schönheit,
die Unendlichkeit des Herzens,
jenen Pokal des göttlichen Weines,
dessen roter Schein sich flüchtig ergießt
über den Horizont der Dämmerung.

* * *

Abschied des Oktobers

Der Sonnentraum beweint
von tristen Novembertränen.
Zu Ende das Vogellied,
die lustigen Strophen des lieblichen Sommers.

Rauh geht der Herbst im Garten um,
beraubt der Sehnsucht verschwiegene Laube,
des Herzens traute Zuflucht,
der zarten Oktoberpoesie.

Nebelmelange umwebt,
mit schwebendem Tropfenflor,
den verwaisten Efeupalast.
Die herzbelaubten Ranken
haften an der Träume Gitter.

Stolze Teehybriden,
der edelsten Rosen Durchlaucht,
tragen weiße Alabasterkelche,
auf Kränzen lorbeerner Blätter,
blaß der Schönheit geweiht,
sich dem farblosen Froste zu vermählen,
im glitzernden Brautschmuck
den Schneeblumen gleichend,
im strahlenden Schicksalsgewand.

Mondlos sinkt das Licht
in das Rußmeer nebliger Nacht.
Der goldenen Sterne Schmuck
in schwarzer Schatulle verschlossen,
bis des Trabanten silberner Dolch
das Siegel der Schatztruhe bricht,
zu schmücken das blaue Himmelstrapez
mit der Sternbilder schillernden Broschen.

* * *

Magierin des Fadens

Die herrliche Natur umsponnen
von der Spinne ästhetischem Genie.
Die Meisterin der Balance,
Trapezkünstlerin und Hochseilakrobatin,
Tänzerin am seidenen Faden,
schlägt das Rad aus edelgeknüpfter Seide.

In gespannten Baldachinen
glitzernder Tauperlenzauber.
Der November gekrönt
mit schillernden Schmuckdiademen,
die auf silberne Netze gefädelt,
feinste Meisterwerke, vollendeter Weberkunst.

* * *

Wintergedichte

Die Legende von eisiger Frist

In sonnigem Fieberschein flammt auf,
die brillantne Juwelenmyriade.
In blitzendem Feuer funkeln die Flächen.
Sprühende Schneefahnen wehen davon.

Frostiger Nordwind,
des Jänners grimmiger Vasall,
raunt die Legende von eisiger Frist,
durch der Buche raschelndes Zimtgewelk.

Rauhe Halme straucheln rauschend,
ein Schneeflockenschauer rieselt herab,
rein wie Blüten erfrorener Kamelien,
Kristallgestirne,
filigranste Sternenmetapher,
himmlisches Kleinod,
lautlos aus Wolkensänften sinkend.

Der purpurne Scharlachriegel kniet
im weißen Vlies verwehter Wellen,
an der Mauer aus trostlosem Stein.

Abendrot umdämmert träumt das alte Schloß,
wirft grau den Schatten der Schwermut in den Park.

Im Schieferodem der Nacht,
verschleiert in des Nebels streichendem Astral,
verglimmt des Tages letztes Licht.

Der Mond,
die gute Seele der Nacht,
lächelt mild aus der Bernsteingondel,
hütend des Schlosses Schlaf,
den verblaßten Traum
der Feste im Lüsterglanz.

Ganz leise klingend,
rühren Glasperlen aneinander,
im eisigen Birkentand.
Der sanfte Nachtwind zupft
der Pappel gefrorene Zitter.

Zarte Töne in der Stille,
weltferne Muse der Schönheit
und schöpferischer Olymp,
im göttlichen Urgrund des Friedens
der Liebe nahe sein.

* * *

Eisblumenzauber

Des Sees tiefblaue Tasse
verziert mit frostigen Flechten,
die sonnenflüchtig keimen
auf des Eises glitzerndem Harnisch;
ein Frühlingsaufbegehren
aus der Erde unverblühter Jugend.

Blaß schimmert der Alabasterlotus,
in erstarrten Jadegärten,
die auf des Frostes brüchiger Scholle bestellt,
in Seewellen
gefrorener Saphirschäume grünen.

Auf des Teiches nachtblauer Kobaltkachel
glitzern des Mondlichtes
flackernde Fayencen,
eingeschliffen mit des Winters Signatur,
Silberrosetten von zieren Lilienkelchen
und perlenden Eisgirlanden,
transparente Marmorfloren,
aus dem Glashaus des ewigen Eises.

Orchideenornamente filigraner Kristalle,
umblüht von Diademen,
perlmuttener Blumenphantasien,
gefräst in des Teiches bleiernen Schild.

Die Sonne wandert über den Grat,
die Nacht verzehrend,
läßt kalte Rosen blüh'n
auf matten Quarzaquarellen,
am milchblauen Horizont,
leuchtet auf
in den Silbermedaillons blasser Azaleen
und den aufgehenden Sternen weißer Kamelien.

Eisblumenzauber,
stille Winterpoesie,
frostiges Prachtgeschmeide
aus den Schätzen der Eispaläste.

Juwelen, Brillanten,
Wintertalismane aus Mondkronensplittern,
für eine Kältenacht der Schönheit
den Winter zu ehren,
der Sonne hingegeben.

* * *

Winterpoem

Wie zarten Flaum von Engelstracht
sinkt leise erster Schnee,
leicht wie Federn vom Gefieder
eilender Himmelsboten.

Des treuen Mondes trübe Lampe
pendelt durch die schwarze Nacht.
Der Winterpoet geht übers Land,
den silbernen Reif auf dem Haupt,
haucht mit frostigem Atem
feinste Intarsien ins Eis,
filigranste Rosengravuren
auf des Sees graues Marmorrelief.

Die letzten Centifolien
taumeln im frostigen Wind,
erfroren sinkend ins weiße Grab.
Sanft bedecken Sternenschleier
die zarte Blumenheit.

Prächtige Baumkronen klirren gläsern.
Des Halbmondes blitzender Dolch glimmt auf.

Tage und Nächte durchgleiten die Zeit,
wie Rosenkranzperlen die betende Hand,
bis erste Schneeglöckchen scheu,
durch der tauenden Matten brüchigen Fries,
zarte Alabasterkelche treiben,
Eisblumen, zum Leben erwacht.

Nun währt noch kurz des Winters Frist.
Aus des feuchten Gartens klammen Graben
lockt schon bald ein sanfter Sonnenkuß,
den ersten Krokus ans Licht,
den lieblichen Frühlingsboten.

* * *

Die Metapher der Reinheit

Die Tannenfürsten tragen
den weißen Mantel der Stille.
Der schlanken Fichten
Abendroben funkeln,
gehalten von gläsernen Spangen
und silbergefaßten Kristallen umblitzt.

Schweigend steht der Wald,
prangt festlich geschmückt,
zu erwarten die geweihten Nächte der Liebe.

In seligem Dunkel,
jenem Schatten des Friedens,
in des Waldes heiligen Hallen,
glimmen festlich
frostige Lüster in den Bäumen.

Rehwild zieht zur Äsung
auf die eisbereifte Lichtung,
in träumerischer Sanftheit,
geboren im Paradiese des Schweigens.
Lautlos fällt der Schnee,
das Wunder verzauberten Regens.

Winter,
Metapher des unberührt Reinen.
Seele und Land bedeckt
von prophetischer Weißheit der Natur.

Verschneiter Weihnachtswald,
du meines Herzens
tiefvertraute Wintermuse,
selig wandelnd deinen Schneepfaden,
lautlos den Wildspuren folgend,
durch deine eisigen Labyrinthe.

Unbewegt wie des Polarsterns Flamme,
von Mondes Zinnflut umflossen,
liegt in Vollkommenheit die Natur.
Das Unfaßbare der Ewigkeit
öffnet weit die Tore,
des Schönen reinste Klarheit offenbarend.

* * *

Dem Lenz zum Gruß

Lautlos kam der Winter,
aus der Stille endlosen Zonen,
verschloß des Weihers grünes Riff,
nächtens mit bleiernem Schild.
Verborgen nun, unter harscher Scholle,
ruht verwünscht der verspiegelte Smaragd.

Tage und Nächte
wachen eherne Erlenritter,
vom Fürst des Grönenlandes
in gläserne Rüstung geschlagen,
bis der starren Recken Siegel,
am Kuß der Sonne zerbricht
und sie ihr zur Ehr'
und dem Lenze zum Gruß,
aus den Knospen der frostigen Zweige
zartgrüne Frühlingssträuße zaubern.

* * *

Morgen-, Nacht- und Mondgedichte

Morgenandacht

Die strahlende Sonnenkrone steigt
aus der Silberdüne der Dämmerung
und wölbt den goldenen Dom
über den schattenlosen Horizont.

Die Winde flüstern sanft
ein leises Morgengebet.
Die Schönheit des Geistes formt
erlösende Worte für die Welt,
Poesie.

* * *

Morgentau vermählt sich
mit der Süße des Rosennektars,
zu reinen Tränen der Natur,
wie eine Sühne der Nacht,
die das Antlitz der Schönheit verschleiert.

* * *

Des Mondes steinerne Laterne

Der Tag neigt sich,
dämmernd wie die Rosenseele.
Die zarte Aura der sinkenden Sonne,
zieht dahin auf leuchtenden Wolkenbanketten,
schwebenden Beeten verblühender Malven,
in hängenden Himmelsgärten,
mit dem letzten Seufzer des Abendrots.

Im Glanze der Sterne spiegelt sich
die Schönheit der teerschwarzen Nacht,
das Passepartout des Mondes,
finster wie ein kalfaterter Tag.

Schatten fliehen
hinter den Paravent der Dunkelheit
durch den Raum des Schweigens
schwingt der Eid erfüllter Träume,
das mystische Schlafgeschenk.

Hell wacht des Mondes steinerne Laterne.
Das Menschenherz,
geheiligt durch die Liebe,
umschließt die zarte Seele,
wenn der Schlaf sie ins Traumreich entführt.

Der Morgen graut,
halb Tag, halb Nacht,
tarnt sich in der Maske der Dämmerung.
Doch Liebe und Glaube,
des Lichtes heilige Buhlen,
entführen die Sonne den Schleiern der Nacht,
zu ihrem Throne über Horizonten
von dorten sie leuchtend regiert.

* * *

Planeten und Monde gleiten
durch die endlosen Räume des Alls,
Sternenlicht umflossen,
als des Schöpfers Steinskulpturen.

* * *

Die Andacht des Mondes

Leise flüstert der Wind
mit der Stille flüsterndem Odem,
umhüllt den heiligen Wald
mit der tiefsten Ruhe Frieden.

Der Mond hält Andacht mit dämmrigem Licht,
an der hölzernen Eiche biblischem Altar,
unter deren dichter Domeskuppel
sich ewig Nacht senkt auf den Tag.

Wilder Runen rauhe Zeichen,
die der derben Rinde unentraten,
von Jahrtausendwettern ingeschrieben,
als geheimes Vermächtnis der Natur,
mit der Elemente ehernem Siegel.

Greise Wurzeln umklammern
wie liebende Hände den Staub.
Ungerührt harrt die Bizarre;
Sonnen sah sie sinken ungezählt,
glühend getaucht in des Unterganges Feuersbrunst.

Wie ein Gemälde ragt die Riesin,
vor der schwarzen Kulisse der Nacht,
zärtlich wiegend den Mondgeliebten
in abertausend Armen.

Des Waldes schwarzes Konterfei,
eine Sternenkulisse der Nacht.
Kometen stürzen sprühend
in der Finsternis düsteren Grund.

Verblassend löst sich der Mond
aus der Eiche matten Zweigen,
die sich schläfrig zur Erde neigen,
schwer legt sich bleierner Nebel
auf des Baumes müde Glieder.

Grauer Tau reiht eilig Perlen
auf der Spinnen Silbersäume;
und kommt der Morgen
von Vogelpsalmen geweckt,
schmückt sich der Wald
für den Augenblick der höchsten Ehre
im Wiederschein der erblühenden Sonne.

Der junge Tag entsteigt
einem Ozeane von Brillanten,
als funkelnder Strahlen Gleichnis,
göttliche Schönheit spiegelnd.

Es feiert jubelnd die Natur,
das täglich neue Wunder
der Auferstehung des Lichts.

* * *

Krone des Abendlichts

Der Ring des heiligen Feuers
umbrennt das Wolkengewölbe.
Die lodernde Tragödin
und Königin des Lichts,
senkt sich dämmernd
in der Blumenpaläste duftende Gemächer.

Noch einmal trägt die Stirn der Welt
die Krone des Abendlichts,
Rosenaquarell am Horizont vergossen,
bis nächtliche Patina dämpft,
des Pures fließende Spur.

Matt der Mond und bar der Kraft,
den Rosen es wieder zu wecken,
umglimmt er die blühenden Schatten.

Träumend graut der Blumenflor,
geheim der Farben Mannigfalt,
Eigentum des Lichts.

Im Schlafe wird die Sehnsucht schweigen,
Liebe geleitet das Herz
durch die stillen Zimmer der Nacht
und in den traumverlorenen Stuben
hallt leise das Echo des Erinnerns
an jenen Heimatort,
von da die Seele auf die Reise ging,
der Schöpfung Schönheit zu schau'n.

* * *

Mondfinsternis

Wenn im schwarzen Ring des Feuers
der strahlende Nachtlotus blüht,
tritt die Sternenilluminati
schweigend aus dem Schatten,
der hellen Spur der Liebe zu folgen,
jenem Lichte der Vollkommenheit,
welches das Herz nach Hause führen muß
durch die verworrenen Schluchten der Einsamkeit,
zurück in den Heimatpalast,
jenen seligen Ort,
der Schönheit und des Gleichgewichts.

Hier lacht des Herzens heitere Sonne,
über dem friedvollen Horizonte
bedingungsloser Liebe.

* * *

Das leuchtende Denkmal des Lichts

Des Mondes leuchtendes Denkmal des Lichts
steht am wolkenlosen Himmel der Nacht.
Im Jenseits des Sonnenlandes,
am dunklen Ufer der Unendlichkeit,
strandet einsam,
seine silberne Insel vergangener Liebe.

Sterne blitzen herauf,
vom Grunde tiefblauen Meeres,
wie verstreute Diamanten verlorener Schätze,
aus versunkenen Galaxien.

Die Rosen nahmen Abschied vom Tag,
sanken einander tröstend,
in die schattigen Arme der Dämmerung.

Süß webt Sommerabendluft,
des Tages späte Köstlichkeit,
mit Wickenduft,
jenem von blühenden Zitronen,
Passionsblumen, Steinkraut und Rosen,
Petunien, Surfinen und königlichen Lilien,
dem Honigatem der Wiesen,
Margeriten und dem Pfeffer wilder Nelken.

Das satte Parfüm weißer Bauernrosen
sinkt schwer zu Boden,
der Abenderde zum Kusse.

Nachtfalter fächeln Duft,
von des Jasmines blühendem Altan.
Glühräupchen schweben,
als des Kosmos winzigste Sterne,
blitzend von Phosphoren,
durch blaues Lavendelgebüsch.

Linder Nachtwind flüstert in den Zweigen,
der Stille lauschend,
die das Geheimnis aller Liebe kennt,
den Liturgien und Gesängen,
die sich leise betend von den Lippen lösen,
den lieblichen Balladen der Nachtigall,
der niedlichen Paradeisenschalmei
und zieren Fanfare der Dämmerung,
die ihren Klang verlieh,
der ersten Hirtenflöte,
geschnitzt aus Schwanengebein,
vor Tausenden von Jahren
in eines Sommerabends Einsamkeit.

* * *

Nachtgedicht

Der Tag verweht
wie das Seufzen eines Freundes
und sinkend füllt sich
des Nachtbesiegten Blick
mit den Scharlachtränen des Abendrotes,
in den Meereswellen der Dämmerung,
darin sich die Abendsonne senkt.

Aus des Halbmonds falber Mandel,
erblüht in eilender Nächte Dunkel,
das Vollmonds Safranranunkel,
Spiegel des sonnenmatten Wiederscheins.

Süßer runder Honigwabenmond,
wie ein satter Bernsteintropfen,
aus den Propoliskammern der Bienenkönigin.

In deinem Glanz geleitet still,
ein Schwanenmonarch die Monarchin,
die strahlende Geliebte.
Gelassen gleitet es dahin,
auf nächtlichem Gewässer,
das edle Alabasterpaar.

Der Sterne lichte Runen ziehen auf.
Über Frieden und Schlaf
wacht still ein Segensstern.

Kühler Nachtwind
weht ewig aus der Heimat,
zupft ganz leise
der Schattenbäume zittrigen Geigen.

Nebel wallt in die Dämmerauen.
Der rauhe Morgen graut
im Bettelmönchsgewand,
harrt kalt und blaß
am Horizont der Ewigkeit,
den milden Gaben der Sonne,
dem Fieberstern,
eines unendlich liebenden Herzens.

* * *

Des Mondes silberner Nachen

Des Mondes silberner Nachen
strandet am Wolkenriff
und wirft den Strahlenanker
in die blaue Nachtlagune.

Schattenmatrosen eilen umher,
zu vertäuen den schimmernden Bug,
bis die Dunkelheit verebbt
und das weiße Nebelsegel hißt,
des Morgens blasse Fahne.

Der bleiche Kahn der Nacht
versinkt in den blauen Tiefen,
des kosmischen Ozeans.

Licht umkämpft der Morgenhorizont,
von der Sonne strahlenden Hellebarden,
bis Tag und Nacht sich einen,
vor der Dämmerung Schiedsgericht.

* * *

Das Erbe des Lichtes

Durch das dunkle Fenster des Schlafes
strömt kühl die Nacht herein.

Der Nachttrabant
und Licht umglänzte Sonnenpilger,
durchschwebt die stillen Sternenhäuser,
auf nächtlicher Friedensfahrt,
den hellen Sonnenspiegel
der geliebten Erde zugewandt,
um deren Achsen
sich kreisend die Schatten drehen,
als der Monduhr nächtliche Zeiger.

Wenn die Dämmerung das Morgengrau verkündet,
ehrt der Mond mit letztem Lächeln
der Sonne erwachenden Blick,
das Erbe des Lichtes hinterlassend.

* * *

Rhöngedichte

Rhönphantasie (phantastische Rhön)

Frühnebel schert sich über den Kamm,
bis Helianthus das Glutauge öffnet,
mit strahlendem Auge die Bresche zu schlagen,
die Felsen versilbernd,
mit dem Glanz ihres göttlichen Blicks.

Die Herbstsonne ist erwacht,
am feierlichen Horizont der Dämmerung,
blendet den Tag mit errötender Morgenschönheit,
Träume des goldenen Oktobers weckend.

Welch allmächtiges Schöpfungsfeuer
aus den Flammen göttlicher Leidenschaft.
Ein Licht, der unendlichen Liebe,
fällt in den Raum zwischen Tag und Nacht.

In den Nebeltälern der Phantasie
weiden die starken Stiere,
der stolzen Göttin Europa,
sich an kühlen Quellen labend.
Träge taumeln die Tauren,
scheue Vögel scheuchend aus dem Schilf.

In den Auen,
heimlich verborgen von Nebelwachen,
ruh'n silberne Schätze im Tau.
Netze, gefüllt mit glitzernden Perlen,
Blumengirlanden von Straß,
brillantgesäumter Frauenmantel,
zu kleiden das edle Blumengeschlecht.

Schatten durchwandern die Stunden,
bis der Rhönkuppen goldne Helme leuchten,
umstrahlt von der Sonne sinkendem Astral,
wie von Rosenwein umflossen,
in den himmlischen Gärten der Dämmerung.

* * *

Ostrhön

Auf Niemandslandes freier Höh',
schweigt friedvoll die biblische Öde;
heiliges Poem der Stille.
In berauschender Kargheit des Nichts,
offenbart sich leicht und leer
die himmlische Nähe des offenen Raums.

In felsigen Alkoven
ruhen im Stein die Zeugen der Zeit.

Einsam wiegt
ein kahler Apfel den wirren Schopf,
windgeduckt das zerraufte Gestrüpp.
In tiefer Verbeugung lehnt sich der Alte,
gestützt auf des Stammes mageren Stock.

Zu Füßen modert der gestürzte Genosse,
bizarr verrenkt das bleiche Astgebein,
gefallen in des Wetters wilder Schlacht,
auf dem Ehrenfelde der Natur.

Die goldene Hand des Oktobers
streichelt die schwarzen Tannenschluchten.
Aus felsiger Scharte glänzt
ein rauschender Quell hervor.
Des Flusses gläserner Meißel
scheitelt im Tale den Berg.

Sinkend nimmt die Sonne Abschied,
mit schmerzlichem Blick auf den sterbenden Tag,
hüllt das errötende Angesicht
in die schwebenden Nebel aus Neptuns Reich,

die Schleier von Meeresseide,
aus den weitgereisten Tropfen
der Wolkenkarawanen.

Der Wind schüttelt laublose Säulenpappeln,
die aufgereihten Reisigbesen
fegen den Dunst davon.

Grauer Schafe wolkige Herden
ziehen den Himmel entlang,
der Nachthirt erscheint am goldenen Hofe,
zu hüten der Lämmer schattige Schar.
Die Glutvenus zündet ein Leuchtfeuer an;
im matten Scheine lagert die Herde,
bis die Windhunde weitertreiben
das rastende Widderheer.

Oh heiliger Seele tiefe Liebe,
Einsamkeit,
du meines Herzens wundersames Schloß,
durch deiner Säle Nächte
laß mich träumend wandeln.

Im Lichte
deiner tausend Sternenlüster
rauscht der Stille glanzvolles Fest.
Und der innigste Freund der Freude,
der Liebe zärtlichster Geliebter,
der Wahrheit wissender Weiser,
bittet zum Tanz,
im extatischen Reigen
der seligen Unsterblichkeit.

* * *

Sehnsucht nach den Sternen

Des Herbstes Goldkronen leuchten
auf königlichen Buchenhäuptern,
Silberatem steigt auf
aus der Stille taugesäumter Täler.

Wind spielt sanft
mit der Gräser perlgeschnürten Wimpern,
der Spinnenbaldachine und Banderolen,
den straßgefaßten Zelten,
geknüpften Rädern und Girlanden,
aus zierlichen, blitzenden Knoten,
den winzigen Wassermurmeln
und Kettchen tröpfelnder Quarze.

Tränen quellen aus des Felsens Fuge,
wie ein fließendes Diadem,
schlüpfen lautlos durch das Gras,
als eine silberne Schleiche,
um dürre Halme und Binsen züngelnd.

Längst verließ der Sommer
des Oktobers goldene Schwelle.
Nebel wölbt das feuchte Vlies,
rückt den Horizont herbei.

Falb und grau
dümpeln verblühte Blumen,
ihrer Düfte und Farben beraubt,
von Bienen im Stich gelassen.
Die Sonnenblume stützt sich trotzig
mit hängendem Haupt auf den schiefen Stock,
beharrlich leuchtend an Sonnen Statt.

Der malachitgrüne Frauenmantel
trägt glitzernde Tränen in der Blätter Schlag.
Die Kreuzkronen der Eschenkandelaber
und der Eichen hohle Ruinen,
von dampfendem Tüll umwogt.
Stumme Tänzer durchschweben
die Schluchten des silbernen Schweigens.

Traumverlorener Zauber
eines schläfrigen Dämmertages,
dessen Licht noch betäubt,
von der Sehnsucht nach den Sternen,
über mondlosen Klippen der Rhön.

* * *

Des Herbstes goldenes Konterfei

Der Wind scheucht die Wolkenkraniche
über der Öde rauhen Kamm,
als sollten sie gen Süden ziehen.
Die Sonne wirft die grauen Schatten
der windigen Wanderer ins Tal;
die Eilenden durchstreifen
des Herbstes goldenes Konterfei.

Oktobersinfonie der Rhön,
kalter Minnesang an geliebtes Land,
an karger Kappen felsige Rüstung
und wirtloser Höhen zugiges Dach,
das geröllgeschindelt,
von grünendem Flaum bedeckt.

Sturmgebeugte Buchen säumen
die verwaisten Wanderwege,
die Harfen der Zweige beben,
in des Windes wildem Vivace.

Nun spielt der Herbst seine Lieder,
Melodien des Abschieds
und von Wintereinsamkeit,
von Wettern und Frieden,
Schnee und tiefer Stille
und den funkelnden Kältefeuern
auf alabasternen Silbermatten.

Die Hügel bieten schroff
dem blauen Himmel die Stirn,
der sich zart mit Abendrot bedeckt.
Der Horizont umspannt
die steinernen Altäre
mit dem lieblichen Rosenband,
des Sammetsonnenhauptes,
das sinkend die Felsenfalten schmückt,
bis die Dämmerung
die glimme Leuchte löscht
und das Dunkel die schläfrige Schlucht
mit schwarzem Schlund verschluckt.

Im kosmischen Hintergrund
hält sich still der treue Trabant,
der tagverkannt, im grauen Profil,
im Sonnenschatten stand.
Durch die Finsternis führt
der Mond das Nachtlicht im Schilde,
als dem Dunkel gebietende Zünde,
im Gefolge der Sterne schimmerndes Heer.

* * *

Die Höhen der Rhön

Über die Höhen der Rhön
träumt dämmernd die Nacht herein.
Ein schläfriger Nebel,
der tagverloren
aus den dampfenden Wäldern steigt,
wie ein Hauch zarten Regens,
der das Land geküßt,
auf hohe Ebenen sinkend,
als Schleier des Vergessens.

Süße Einsamkeit und Heimatstille,
ein Zauber menschenleeren Glücks.

Aus wolkenverhangenen Schatten
erhebt sich schüchtern der Mond,
über Traumwiesen wilder Rosen.
Es duften die blassen Fächer
des scheuen Feuers erster Liebe.

Des Günsels winzige Pyramiden
ragen blau, mit bittrem Duft,
zwischen Gras und Kraut von lila Schaum.
Es leuchten wie Kinder des Vollmonds,
des Löwenzahns zottige Dotter
aus fransigen Zipfeln des Lichts.

Von Halm zu Halm erzittern,
die Anker seidener Fäden,
die gewebten Brücken über Blatterrassen,
zu tauumgitterten Balustraden,
schimmernder Spinnenpaläste,
versponnenen Perlmutts.

Weit ausgeworfen ins Meer des Dunkels,
die fein umperlten Netze,
wie zu binden zartes Elfenhaar,
den ersten Strahl des Lichtes fangend,
die Morgengabe der Sonne,
in heiliger Herrgottsfrühe.

* * *

Des Herbstes letzte Bastion

Wind weht eisern
um die frostigen Zinnen der Rhön.
Die Kältekuriere stürmen
des Herbstes letzte Bastion,
mit frostiger Depesche des Winterbarons.

Des Mondes goldne Welle fließt,
über der Hügel gläserne Rücken.
In unzähligen Schneekristallen
flackern Sternenlichter auf,
zu spiegeln die Galaxie.

Fichten glänzen im eisigen Tand,
feierlich geschmückt des Waldes Winterpalais.
Zapfen glitzern wie von Zucker umfroren,
funkelndes Lametta zündet in den Zweigen.
Im fahlen Lichtschein beben
die glimmenden Kälteflammen.

Tannen stehen schweigend,
in silbernen Harnisch gehüllt.
Birken, Buchen und Eichen
tragen winterliche Tracht.

Des blauen Sees schimmernde Schlucht
von gläsernem Schilde verschlossen.
Verlassen ruht der Schwäne weihlicher Hort,
erstarrt die geheime Insel der Schönheit.
Schwer von Diamanten strauchelt rauhes Schilf.

Vor den samtnen Nüstern des Wildes
wogt dampfender Lebenshauch.
Das heilige Wunder des Schweigens
senkt den Frieden in die Nacht.
Im festlichen Schmuck, vollendeter Schönheit
träumt verzaubert die Natur.

* * *

Waldgedichte

Der Stille Kostbarkeit

Zarte Gräser neigen sich im Walde,
vor violetten Witwenblumen,
die lieblich zwischen Honighalmen duften.

Des schwarzen Hollers heilender Strauch,
trägt auf trügenden Dolden
das herbe Blütenbouquet des Waldes,
das flüchtige Aroma,
der Wildheit des Feldes
und der Frühsommerwiesen.

Mit goldenem Zauber
umarmt das Abendlicht
den geliebten Horizont der Erde.

Des großen Schillerfalters blauer Schimmer
flattert selig,
durch der Salweide blättrigen Strauch,
den Ruheplatz suchend,
im grünen Baumgemach.

Es träumt
der vergessene Park des Nachts,
wenn die Seele der Blumen
duftend den Kelchen entschwebt,
den verschwiegenen Schatten der Rosen,
honigsüß, den dämmrigen Schemen der Lilien,
die Luft gestillt von Jasmin.

Die Aura der blühenden Linden
umweht mit köstlichem Geiste,
die prächtigen Kronen der Bäume.

In Frieden belauscht die Natur,
die Gebete im Herzen der Menschen.
Die Wiese bedeckt
von Frauenmantel und wilden Anemonen.

Stille entfaltet sich als Kostbarkeit
der unendlichen Güte der Schöpfung,
aus dem tiefsten Herzen,
das je geliebt,
jenem des Göttlichen.

* * *

Geliebter Wald und mystisches Reich der Bäume

In des Waldreiches Lieblichkeit,
steigen die Seelen auf,
aus den endlosen Tiefen der Stille,
hier zu träumen,
von Leben und Wiedererwachen.

Zitternd umbeben
der Lichtalben goldene Auren,
die smaragdumblitzten
Kronen der Eichenfürsten,
die Ruhe und Schatten spenden
mit den Zeptern ihrer Zweige.

Starke Wurzeln der Kraft
trinken aus heiliger Erde
Wasser spendenden Brunnen.

Die alten Buchen,
Eschen und ehernen Eichen,
säumen die Wege,
wie geschnitzte Apostel,
der Pilgerpfade des Waldes.

Die Wüste,
das große Grab der Bäume,
betrauert die gerodeten Wälder,
als der Erde verlorene Königreiche.

* * *

Rosengedichte

Im Zentrum des Herzens,
dem Kosmos unsterblicher Liebe,
dem Garten unvergänglicher Schönheit,
blüht sie im Verborgenen,
die Rose des Göttlichen.

* * *

Die Mystikerinnen des Duftes

Die Majestät der Rose und scharlachgewandete
Sonnenbraut
erblüht in ästhetischer Vollkommenheit,
unter dem machtvollen Gesetz der Schönheit,
aus der höchsten Ordnung erschaffen.

Der weißen Lilien duftende Gefäße
verschütten sinnliches Parfüm,
schwer wie Tropfen orientalischen Blutes.
Die Mystikerinnen des Duftes
und blühenden Spiegel der Sonne
entfalten den Zauber des Sommers.

Heiligkeit umfängt
den duftenden Garten der Stille.
Tiefer Frieden steigt aus der Blumen Mitte,
als ein reiner Odem der Süße,
paradiesischer Seligkeit.

Der Himmel senkt sich dämmernd
auf den lieblichen Florenhain.
Die Abendwinde schweigen,
wo Schmetterlinge rasten,
die sternbestäubten Schilde
gefaltet zum Nachtgebet.

* * *

Die edle Rose verblüht in Demut
vor dem ewigen Gesetz der Sterblichkeit.

* * *

Rosenandacht

Liebliche Rose,
Gebieterin der Schönheit,
mit Göttlichem im Bunde.

Dorn des Schicksals,
all derer, die da blüh'n,
erwählte Muse der Liebe,
leuchtende Sonne aus Flamme und Licht,
wie ein wesender Vulkan,
von Feuer und von Farben,
Dreifaltigkeit der Blumen
aus Blüte, Dorn und Duft.

Draußen am Felde ranken
der Edlen wilde Ahnen,
von sammetner Zartheit,
ein welkender Schmetterling,
flüchtig grüßend aus ewigen Wonnen,
verflatternd im späten Sommerwind.

Vergehend in Aurelias letztem Lächeln,
jenem milden, der Sonne des goldenen Oktobers.

* * *

Hymne an die Rose

Verehrte Rose,
Tausendschön und Florenfürstin,
niedlicher Paradiesensproß,
einzig geadelt,
der Schönheit zu leben,
als ästhetisches Meisterwerk.

Durchlauchtigste des Blumenhofes,
von kaiserlichen Würden,
da Sammet sich der Seide vermählet,
verborgen hinter duftenden Schleiern.

Umhaucht von Edenatem,
aus höfischen Blütenphiolen,
Kredenz der Herzensalchemie,
als der Blumenhöchsten himmlischer Duft.

In der Götter irdischen Hallen
zieren heitere Rosengebinde
der hohen Priester heilige Altäre,
als würdigste Opfergabe,
zur ewigen Liebesweihe.

* * *

Die heilige Rose

Die kosmische Unendlichkeit
seit Ewigkeiten durchmessen
von der Sehnsucht träumender Seelen,
auf der Suche nach der heiligen Rose,
dem Liebesthron des Herzens.

Pilgerfahrt der Sterne,
die als sterbende Schnuppen verglühen,
in den zeitlosen Räumen des Lichts.

* * *

Vergängliche Fayencen

Die süßen Blüten herbstlicher Rosen,
die sich welkend dem Himmel öffnen,
mit irdischem Gruße
Göttlichem zugewandt.

Die von kühlem Tau getauften,
von Juliregen schwärmenden,
schmücken des Herbstnebels graues Gewand.

Silbernen Reifes umblitzt,
wie von tödlichem Glanze umglissen,
dem November zu erwachen,
Seite an Seite zu schmelzen,
unter kosender Morgensonne,
mit der Eisblumen frostigen Schwestern,
die geboren in der ersten Kältenacht,
als vergängliche Fayencen,
der ewigen Vollkommenheit.

* * *

Adora der Götter

Der Schönheit Gesetz beschlossen,
in der Rosen zierem Rat,
der Duft gehegt und sonnenumworben,
von edlem Lavendel blau umblüht.

Des Blumenadels stolzes Geschlecht,
das königlich den Garten schmückt,
in Purpur und orangenen Flammenroben.

Adora der Götter,
duftende Sphinx der ewigen Schönheit,
vor den Toren des Paradieses.

* * *

Friedensgedichte

Zeichen des Friedens

Im Zirkel des Lichtes,
auf Auroras Strahlen,
ruht der Sonnentempel,
die schimmernden Achsen durchmessen gebündelt,
des Waldes dunstiges Vlies.

In der Abendsonne goldener Ellipse
versinkt die Ruine des Lichtpalastes,
wenn der Dämmerung schwebender Gobelin,
wie aus roten Safranfäden gewebt,
verblaßt im pastoralen Abendblau.

Die dunklen Samtemporen und wolkigen Galerien
der schwarzen Festung der Nacht,
verziert mit des Mondes Kupferbrosche
und glitzernden Sternbildfresken,
wie Brillantschmuck ferner Reiche,
funkelnd und glimmend,
aus den Schätzen des Universums.

Mystische Runen und Zeichen des Friedens,
himmlische Leuchtfeuer der Hoffnung,
entlang der Reiserouten,
durch die Weiten der Unendlichkeit.

* * *

Vision des Friedens

Die Seele ruht in göttlicher Umarmung,
geheiligt in den friedvollen Tiefen
eines stillen Herzens,
der Pforte zur Ewigkeit.

Weisheit adelt den Menschen
mit der Königswürde des Wissens,
jener Erfahrung bedingungsloser Liebe,
Keimzelle der Vision des Friedens aller Welten.

Das Wesen der großen Stille,
der vollkommene Meister des Friedens der Seele,
der Urgrund aller Schöpfungskraft
und aller Göttlichkeit,
ist die lächelnde Matrix der Schönheit.

* * *

In den Händen liebender Mütter
liegt die Macht der Welterlösung.

* * *

Liebende zelebrieren den Frieden

Die Sonne steigt aus goldenem Grund,
taucht auf im Meer von Karmesin,
zwischen brennenden Wolkenschären,
zu durchstechen den grauen Nebelfries
mit blitzendem Bajonette,
davon ein Splitter glüht
im Herzen aller Liebenden.

Die Seele vermählt sich der Unsterblichkeit,
durch die Speisung des Herzens,
mit dem heiligen Mahl der Seligkeit.

Morgentau funkelt
wie Tränen von Granat,
im seidebeflügelten Herzen der Rose.

Im Garten der Poesie,
unter Floras blühenden Träumen,
zelebrieren Liebende den Frieden,
in süßem Blumenodem,
jenem göttlichen Duft der Stille.

* * *

Liebesgedichte

Liebe ist die Poesie des Göttlichen.

* * *

Liebe, Flamme des Lebens

Schlaf verschließt das Auge,
das Tor zum Ghetto der Nacht,
für des Tages entflohene Schatten.

Des Mondes leuchtende Spindel
spinnt silberner Fäden Geflecht,
glänzenden Brokates verwoben
mit des Waldes finsteren Schabracken.

In glitzernden Salen rinnt Wasser,
wie schillernder Sternentau,
darin sich spiegelnd bricht
der Milchstraße schwebendes Gestirn.

Sumpfdotterblumen leuchten matt,
wie taumelnde Wasserranunkeln,
aus des Baches ruhenden Buchten.

Windgebeugte Weißdornhecken
duften in die Nacht,
die nur eine Maya des Lichtes,
ein Schatten der Herzensglut.

Liebe,
die Flamme des Lebens,
erwacht zitternd in den Feuern der Ewigkeit,
und die Dämmerung,
ihr unbelehrter Schüler,
zweifelt zwischen Tag und Nacht.

Erst der Morgen bringt das Heil ans Licht,
wenn die Sonne mit schweigender Macht
den Nebelvorhang aus den Tälern hebt,
die verschleierten Bühnen der Berge
und Gipfeldächer tauchend,
in ziegelroten Schein.

Nun rastet des Mondes blinder Spiegel,
der verträumte Poet der Nacht,
in grauer Wolkenrequisite.

Zahllose Sterne sammeln sich,
um zarte Dolden weißen Flieders,
die sich süß und duftend wiegen,
in lieblichen Frühlingswinden.

* * *

Weil wir lieben

Weil wir lieben,
sinkt der Sonne Abendrubin,
hinter roten Nebelfahnen,
auf den Mohnblumenstrand
des glühenden Wolkenmeeres.

Der Tag erlischt
im Burgundertau sonnensatter Trauben,
auf rosenen Wolkenkissen,
die zart erröten,
wie vom Kusse süßer Julikirschen.

Weil wir lieben,
wölbt des Mondes Horizont
den goldenen Felsenrücken,
aus des Nachtmeeres dunkler Tusche.
Mit flackerndem Straß bestickt,
der blaue Atlas der Sterne.

Lichtkaskaden rauschen ins Nichts,
wie glitzernde Sterntalerschauer,
aus dem Lapisäther des Nachttrapezes.
Der Träume Paläste schimmern
aus den nebligen Kobaltfassaden.

Weil wir lieben,
beglückt uns der Träume Entzücken,
im Schlafe sanft berührt zu werden,
von Liebesboten des Todes,
die von beiden Welten weise,
als erlöste Seelen wandern
und als Botschafter der Ewigkeit,

durch die freien Zonen,
jenseits der Zeiten und des Raums.

Weil wir lieben,
begleiten Engel den Menschenweg,
die lichten Wesen im leuchtenden Astral,
als himmlische Durchlaucht,
des vollkommenen Friedens,
der Freude und ewigem Leben huldigend.

Weil wir lieben,
wird Liebe unser Schatten
und das Herz, der Meister der Wahrheit
und göttlicher Tempel der Liebe,
der Gnade und Geduld,
verwaltet die Schätze der Weisheit.

Weil wir lieben,
wird am ersten, wie am letzten Tag,
die Rose der Sonne erblühen,
aus den eisgrauen Nebelweichen,
die dämmernd
weder Nacht noch Tagen gleichen.

An der Schwelle des Morgens
verwandelt sich Dunkelheit zum Licht,
die Schönheit des Ewigen beleuchtend,
jenes göttliche Geschenk an uns,
weil wir lieben.

* * *

Liebe,
unendliche Geduld des Herzens,
die hinter tausend Masken
das Göttliche erspürt,
als Triumph der unsterblichen Seele
und zarter Zauber poetischer Träume.

* * *

Das Gewissen
ist das Zentrum göttlicher Gerechtigkeit
und läutert das Herz des Menschen
in den glühenden Feuern der Liebe.

* * *

Der Verstand
durchmißt den Raum der Zeit,
das Herz kennt die Wege der Ewigkeit.

* * *

Liebe, die Wunderbare

In des Herzens nahen Tiefen,
am Grunde der Unendlichkeit,
entspringt die Lebensquelle.

Klarer Spiegel der Schönheit,
darinnen tief im Dunkel
der Sonne Antlitz leuchtet,
die Pforte des Lichtes
sich Ewigem öffnet.

Nur Liebe, die Wunderbare,
kennt die Wege zum Herzen des Menschen,
kennt die träumende Rastlosigkeit
jener endlosen Sehnsucht,
schickt Göttliches auf den Weg zur Vollendung.

* * *

Den höchsten Zauber
gewinnt sich das Leben,
aus der Liebe,
die vom Schweigen erlöst,
durch den Geliebten zu uns spricht.

* * *

Die gottgewollte Freude

Zeit bewegt sich
durch das Tor der Liebe,
als stille Poesie
des unsterblich Vergänglichen,
in den Raum der Ewigkeit,
als Vermächtnis des Lebens,
dem uralten Recht des Menschen,
auf die gottgewollt höchste Freude.

Die Seele folgt ihrer Liebe
durch die grauen Zonen der Verwandlung,
denn nur Liebende erhalten
das Geschenk der Unsterblichkeit.

Des Abendlichtes roter Kuß
glüht im Zinnoberherzen der Rose,
deren Blüten
aus zu Seide versponnenen Rubinen,
leuchtend,
wie der feurige Atlas der Sonne,
zu Ehren des Herzens,
dessen höchste Schätzung des Wertes
dem erwachten Menschen gilt,
jenem göttlichen Geschöpf,
das aller Liebe würdig.

* * *

Rhythmisches Urinstrument

Herz,
göttliches Gemach der Liebe
und ihrer Gebote geheiligte Bundeslade.
Kosmischer Sitz der Gnade
und der Weisheit aller Vergebung.

Herz,
rhythmisches Urinstrument
der ersten Musik des Lebens,
des Grundtaktes aller Tänze.

Herzschlag,
erster Ton aller Sinfonien,
Ouvertüre und Schlußakkord.

* * *

Die Stille
ist die Seele der Musik
im Zentrum
des großen Klanges des Universums.

* * *

Das allmächtige Wesen der Liebe

Leben,
heilige Zeit,
der aus wunderbarem Traum erwachten Ewigkeit,
deren Herrlichkeit sich verbarg,
in nur einem Augenblick des Schweigens.

Schönheit,
Liebesbild der Seele,
in der Stille geformt,
der besinnlichen Freude der Musen.

Weisheit,
Götterfrucht des Herzens,
gereift in der Wärme der Liebe,
von erwachter Seele gepflückt,
als vollkommenste der Freuden.

Liebe begegnet dem Leben,
unbestechlich,
mit der Moral des Herzens,
darinnen Gott im Vertrauen ruht,
als träumende Macht der Schöpfung,
als rastende Lebenskraft.

Unbeachtet stirbt die Angst,
der Tod besiegt im innigen Gebet,
dem Königsweg des Herzens
und Liebespfad stiller Verwandlung.

Das allmächtige Wesen der Liebe,
formlos,
aus den weisen Gedanken der Güte,
umgibt die Welt
mit dem Schutz seiner ewigen Gnade.

In der reinen Schönheit der Morgenröte,
im Rosenantlitz der erwachenden Sonne;
welch ein Feuer göttlicher Gegenwart,
welche Verherrlichung des Lichts.

* * *

Segnung der Liebe

Der Mond,
ein Staubkorn im Universum.

Die Sonne,
das Aufleuchten eines Fidibus im Kosmos.

Das Licht der Galaxie,
ein Blitz im Energiefeld der Unendlichkeit.

Werden und Vergehen der Sternenreiche,
ein Schlag des göttlichen Herzens.

Im blauen Licht der Unendlichkeit
vereint sich die schöpferische Urkraft der Sonnen,
in einem Sternenraum jenseits der Zeit,
dem paradoxen Ort
vergänglicher Unsterblichkeit,
im heiligen Herzen der Durchlaucht Mensch.

Wissendwerdung durch die Segnung der Liebe,
der Allumfassung göttlicher Kraft.

In tiefreligiöser Verehrung,
jenseits aller Religionen,
offenbart sich die Schönheit des Lebens.

Die Reinheit des Herzens,
als vollkommene Ästhetik
und Fähigkeit zur höchsten Freude,
jener aufrichtigsten Dankbarkeit.

* * *

Liebende sind Engel, die über die Erde gehen.

* * *

Todesgedichte

Treue besiegt den Tod,
denn sie verleiht der Liebe Unsterblichkeit.

* * *

Der Schlaf des Vergänglichen

Der Tod bedeckt den Körper
mit dem Schlafe des Vergänglichen.
Die Seele durchschreitet
die Tore der Materie,
die Welt der Unbeflügelten,
um dann in Schwerelosigkeit
sich endlos auszudehnen.

Die Vögel tragen träumende Seelen,
die noch keiner Welt erneut erwacht.
Wo immer sich der Seele Auge
neuem Leben öffnet,
ruft der Herkunft Erinnerung,
aus dem Heilsgrund des Schöpfers.

Die Schmerzenssuche nach Verwandtem
in einer fremden Welt beginnt.

* * *

Tausend Gesichter des Ewigen

Die Sonne setzt dem Tag ein leuchtendes Finale,
sinkend in die Dämmerung,
jene Trance zwischen Licht und Traum.

Schwarze Wolkenfetzen treiben
aus zerrissenen Schatten des Mondes,
von versprengten Sternen durchstöbert,
im ruhlosen Meere sturmbewegter Nacht.

Im Schlafe macht sich träumend
die Seele mit dem Tod vertraut,
gleitet mit ihm
über stille Gewässer des Friedens,
darin die Lebensströme münden.

Sanft wiegen sich die Wellen,
von Frühlingsluft gerüscht
und Lotusblumen umblüht,
vom Seelenschmetterling berührt,
der mit einem Flügelschlag
die Erdenblumen streift,
ihren Nektar kostend,
weiter zu reisen, zu immer neuen Welten.

Die vergängliche Vielfalt des Lebens
schmückt die tausend Gesichter des Ewigen,
mit der Kraft der Liebe, die sich mißt
an den Tiefen der Unendlichkeit.

Ihre Schönheit
ist Zeugnis des Vollkommenen,
ihr irdisches Bild
das Antlitz der Rose.

* * *

Der Schatten der Vergänglichkeit

Alles Vergängliche
wirft den Schatten der Trauer
auf die Unsterblichkeit.
Nur die Liebe,
körperlos, als die Vollendung des höchsten Geistes,
tritt ohne Schatten ins Licht der Sonne.

Sie allein besiegt den Tod,
denn ihr Blick zerbricht
den Spiegel der Materie,
auf der Suche nach Vollkommenheit,
auf der Spur des Schöpfungsgedankens.

* * *

Am Ende des Lebens
senkt sich der Tod
wie ein stiller Vorhang des Friedens,
aber mit dem Lachen des Herzens gerüstet,
tanzt die Seele in der Ewigkeit.

* * *

Das Meer des Herzens

Auf dem Königsweg der Liebe,
dem heiligen Pfad der Verwandlung,
umwirbt das Leben
in aufrichtiger Verehrung
die Unsterblichkeit der Seele.

Die strömenden Flüsse der Erde
durchfließen den Kreislauf des Menschen,
um ins Meer des Herzens zu münden,
jenem Ozean göttlicher Kraft.

Der Tod gebannt
von wehendem Atems Wunderwind.
Süßen Hauches fliehendem Streichen,
weicht der Hüter der Schwelle.

* * *

Das letzte Geschenk

Das Mysterium des Todes,
geheime Abschiedsoffenbarung des Lebens.

Das Wissen des Abschieds gehütet,
unter dem Siegel sterblicher Verschwiegenheit.

Der letzte Lebensschatz als Geschenk,
in des Lassens gelöstem Augenblick,
Vermächtnis eines ewigen Versprechens.

Leben und Tod,
die göttlichen Gaben
im endlosen Kreislauf der Sterne,
im unaussprechlichen Gnadenraum unfaßbarer Liebe
und ewiger Seligkeit.

In göttlicher Leere
bedingungsloser Liebe
erwirbt sich die Seele die Freiheit des Wanderns,
durch die Illusionen und Gleichnisse des Relativen.

Die Schule des Wissens
entläßt den vollkommenen Meister,
als höchstes Wesen der Liebe und Güte,
dessen Ziel die erneute Reise ist,
die Menschheit zu erinnern,
an die Meisterschaft des Herzens.

* * *

Im Schlafe des Todes träumt die Seele vom Leben.

* * *

Der Tanz des Unsterblichen

Leben und Tod,
geeint im Augenblick des Sterbens,
der Dämmerung zwischen Lebenstag und Todes-
nacht.

Die Seele ruht in schöpferischem Todesschlaf,
im stillen Raum der tiefsten Meditation,
bis zur Stunde ihrer Geburt.

Das Rad der Wiederkehr hält an,
durch die Kraft des vollkommen Liebenden,
jenem reinen Spiegel göttlicher Klarheit,
darin sich die Herzen wiedererkennen,
in grenzenloser Freude,
die beständig wächst,
bis zur endlosen Ekstase,
jenseits aller Zeit,
dem ewigen Tanz des Unsterblichen.

* * *

Der Tod ist der Spiegel des Lebens.

* * *

Vollendung der Nacht

Die Vollendung der Nacht
ist die Wiedergeburt des Lichts.
Des Todes Frist ein Schlaf,
in dem die Seele frei
zu unbegrenzten Weiten gelangt,
um wiedergeboren, neue Welten zu betreten,
Kind zu sein,
von jenen lernend,
die bald schon weiterreisen.

* * *

Die Dunkelheit weicht

Das Leben vollendet sich,
zur Essenz des letzten Gedankens.
Der Schmerz des Tods ist tief,
so grell wie das Licht des Erwachens,
wenn die Dunkelheit weicht,
vor den Feuern der Ewigkeit.

* * *

Schwelle zur Ewigkeit

Die Sonne sinkt rot
im Rosensafte süßer Blumen.
Lavendelweiten düstern
hinter Aschefassaden der kommenden Nacht.

Was sich löst, muß erwachen
aus der Maya der Sterblichkeit,
so wie Tag und Nacht
nur ein Rhythmus des Wandels.

Wie das Steigen und Sinken der Sonne,
nur ein Tanz mit dem Schatten der Welt;
Schöpfungszauber
im Liebestraume der Schönheit.

Das Herz muß schmelzen
in den glühenden Öfen der Liebe,
um leuchtend die Sonne zu sein.

Der Tod kommt,
wandelt die Form,
sprengt den Schatten
und entläßt die leichte Seele ins Licht.

Von Leben zu Leben getrieben,
bis aus dem Wunsch ein Wille wird,
und die Schwelle schwindet,
das Tor sich öffnet,
unsterblich den Tod überwindend,
als die letzte Illusion
vor der unteilbaren Ewigkeit.

* * *

Erinnerung an die Liebe

Geboren werden,
als Erinnerung an die Liebe,
die sich weise verkörpert
in unendlicher Geduld,
zu einem Leben,
aus vergänglichen Augenblicken,
von Jahrtausenden geformt.

* * *

Meditation, eine kurze Rast in der ewigen Stille.

* * *

Jeden Tropfen treibt die Sehnsucht nach dem Meer.

* * *

Gedicht über die Kunst

Kunst dient der Welt

Ein Akt der Menschenwürde,
eine Liebestat,
da Kunst in Schönheit zur Gottesverehrung wird,
der Welt zu dienen, ihr Herz zu erfreuen.

Schönheit, tiefe Ordnung des Herzens
und hoher Wert im Universum,
Regentschaft der Freude und des Friedens.

Schönheit und Weisheit,
der Liebe tugendhafte Schwestern,
Treue und Klugheit zu der Urmutter ehren die
Furcht.

* * *

Planeten-, Sonnen- und Sternengedichte

Der geweihte Stern

Dem Herzen jeden Kindes
ist ein Stern geweiht,
den es zum Licht erweckt,
oder sinken läßt ins namenlose Meer der Nacht.

Einem wunderbaren Kind
ward einst die Erde selbst geweiht,
jenes Kleinod,
jene Arche der Vielfalt des Lebens,
die sich still bewegt
durch das schwarze Meer der Unendlichkeit.

* * *

Die schwebende Blume der Leichtigkeit

Göttliche Visionen explodieren,
zum Paradiese jenseits der Vorstellung,
wenn das Saatkorn Erde endlich
den fruchtbaren Geist des Alls berührt.

Die schwebende Blume der Leichtigkeit
sprengt den starren Keim,
und das Wesen des Lebens
umtanzt die geborene Blüte,
wie ein Schmetterling,
von der Maiensonne erheitert.

Der Schatten des Zweifels verglüht,
im gigantischen Feuer
sich manifestierender Schönheit,
dem Urknall,
da sich alle Planeten
zur fruchtbaren Krume zerreiben.

* * *

Geliebte Erde

Angebetete und Schönheit der Planeten,
Waldweide und Schöpferin der Natur.
Kosmischen Brunnen entspringen deine Meere,
du Apfel des göttlichen Auges;
deine Flüsse sind seine Tränen der Liebe.

An deinem Horizont erscheint die Sonnenrose,
keimt aus der Saat des ewigen Lichts,
galaktischen Gärten entblühend,
ein goldenes Porträt des Feuers.

Auf deiner Schwelle zur Nacht
rostet der Eisenmond,
von mystischem Schatten umdämmert,
das Orakel des Traumes
im Schlafe beschwörend.

* * *

Planet der Blumen

Die Welt,
Planet der Blumen,
Reichsapfel des Kosmos,
ruht in Gottes Königshand.

Kostbares Kleinod der Galaxie,
Schöpfermuse und erfüllter Traum,
jener von Schönheit ohne Grenzen,
von Farben und Klang,
von Harmonien in Vollendung,
Unendlichkeit der Vielfalt.

Und was da lebt
in blühenden Reichen,
atmet den Atem des Ewigen.

Erde,
Fruchtschoß des Geistes,
Altar der Liebesgaben,
kosmische Kapelle und Andachtsort
der höchsten Heiligkeit,
dahin die Seelen pilgern,
auf der Reise durch dic Sphären.
Paradies,
Land jenseits aller Religionen.
Deine Hüter sprechen zärtlich
zu den Seelen aller Kreatur.

Welt heißt das Land,
und Welter sind wir,
Verwalter höchster Gnade,
Diener im Namen des Schöpfers.

Und als du mich liebtest
wiegte ich ihn in meinem Arm,
und alles Licht der Sterne trieb
auf Irisian,
dem Meere deiner Augen,
als Fackel einer göttlichen Seele.

* * *

Geheiligter Stern der Liebe

In jedem Menschenherz
ruht die göttliche Ursaat der Schöpfung,
wie Diamanten in den Tiefen der Erde,
zur Wiedererweckung des Menschseins,
in Omnipotenz der Liebe.

Die Erde wird von Frieden erfüllt sein,
wie das offene Herz Gottes,
das mit ihr den Kampf
zwischen Licht und Dunkel besteht,
und das sie in Reinheit weiht,
zum geheiligten Stern der Liebe.

* * *

Der Goldlotus der Galaxie

Das Scharlachfeuer himmlischer Rosen verglimmt
vor der Schieferfassade der Dämmerung,
versprengte Irrlichter des Tages,
Sterne von Rubin
aus der Sonne verlöschendem Leben.

Des Klatschmohns rote Seidenflügel
umzittern bebend das letzte Licht,
wie Nachtfalter von Karmesin.

Die Mondiris schlägt das Nachtauge auf,
die Seelen geleitend auf traumlosen Wegen,
durch die Räume der Unendlichkeit,
bis der Morgenvogel sich regt,
auf lichtem Flügel das Dunkel zu flieh'n.

Nachttränen glänzen auf den Wimpern der Gräser.
Die schattenlosen und lichtentfesselten Gedanken,
zerteilen mit flammendem Schwert die Nacht.
Aus der Liebeskraft des Herzens
steigt ein Stern empor.
Die Sonne,
glühende Metapher des Feuers,
magische Vision des Lichts
und Goldlotus der Galaxie ist erblüht
am Himmel des ersten Morgens.

* * *

Sonne, goldene Ikone des Lichts

Erwachter Mensch,
der Du zum Schauen erwählt,
der Du zum Fühlen gesegnet,
im Herzen das Göttliche zu fassen;
ein liebender Gott teilt sein Wissen mit Dir.

Und alles, was geschaffen ist,
in seiner unfaßbaren Schönheit,
ist Geschenk an ein erwachtes Herz
und wenn es nur dies eine wäre,
als ein klarer Spiegel des Göttlichen.

Bewußtsein und Erkenntnis sind Erlösung dem Erlöser.
Und wie die endlose Geduld bedingungsloser Liebe,
eilt an jedem Morgen
der Sonne ein roter Schein voraus,
als eine Purpurvision des ewigen Lichts,
siegend seit dem Urbeginn der Zeit,
an jedem neuen Tag,
über die Dunkelheit der Nacht.

Die Schatten neigen sich
vor der goldenen Ikone des Lichts.

* * *

Im Gleichgewicht der göttlichen Physik

Schweigend wandert die Welt,
auf ihrer stillen Reise durch die Zeit,
um das heilige Auge des Lichts.
Auf dem kosmischen Sternenfest
kreisen träge die Planeten,
zum Klange der Sphärenmusiken,
die ertönen durch ewige Weiten,
mit den Herzen nur zu hören.

Lichte Kometen verlöschen rauschend,
wie ein leuchtendes Feuerwerk der Nacht.

Gigantische Sterne brausen glühend
durch die schwarze Tiefe der Unendlichkeit;
und alles dreht sich umeinander und um sich selbst,
stößt sich ab und zieht sich an.
Im vollkommenen Gleichgewicht
der göttlichen Physik
bewegt sich der Kosmos durch Zeit und Raum.

Majestätisch erstrahlt die Galaxie,
im heiteren Lichte goldener Sonnen.

* * *

Schönheit des Planeten

Strahlenden Lichtes entsteigt die Sonne
dem kochenden Magmagrund,
elementare Kräfte erwachenden Lebens,
aus der Glut des gleißenden Grals.

La femme flammable,
ein Ball aus loderndem Fiebergas,
wie vom Atem des heißesten der Vulkane,
erhebt sich aus flammender Wiege
über rauhe Gerstenfelder,
zu reifen die Ähren der Ockererde,
daß falbvergilbtes Flanderlinnen
sich weithin über weiche Hügel dehne.

Herb verdampft
der feuchte Met der Nacht.
Aus Wiesenblumen,
Lehm und Getreide
braut sich würziger Morgenduft.
Der Himmel spannt das blaue Segel,
und im warmen Südwind
treiben träge Cumulanten.

Wie seit ewigen Zeiten
rauscht auch in diesem Jahr
der alten Linde blühende Robe.
Duftend herrscht die stolze Regentin,
der Liebe Runen und Schwur
zahllos in die Rinde geritzt.

Seid gegrüßt, Hoheit Baum,
und ihr des Waldes grüngekrönte Häupter.
Euren Reichen entsteigen die Nebel,
Regen rinnt nach eurem Gesetz.
Mit euch kam das Leben,
mit euch wird es enden,
denn ihr seid die Schönheit des Planeten,
die Wiege aller Kreatur.

* * *

Erde, du meine tiefvertraute Mutter

Geliebte Erde,
du meiner Seele zutiefst vertraute Mutter,
irdener Lebensgral und Weltplanet,
elliptisches Auge des Sonnenreiches,
Aquamarin im kosmischen Meer
und mystische Lebensalchimistin
in den feindlichen Zonen des Alls.

Dein weises Herz erfüllt
von zu Quarzen versteinerten Tränen,
Kristall und Diamanten,
für die Ewigkeit geweint.

In deines Schoßes Elysium ruh'n,
des Goldes schlafende Sonnen
und ein silberner Schatten des träumenden Mondes
aus der Sterne gefangenem Licht.
Deine alten Weltgewölbe
bergen wundervolle Schätze.

Aus Erzen das Eisen,
das rote Bauerngold,
in deinen glühenden Schmieden geschmolzen,
geläuterter Stolz deines ehernen Wesens,
als schlichter Schmuck deiner Würde und Kraft.

* * *

Gaya, Geliebte Gottes und Auserwählte

Das geschenkte Auge Gottes,
darinnen die Erde sich spiegelt,
als Mutter der Liebe und Visionärin der Schöpfung,
als Göttin der Fruchtbarkeit
und kosmisches Saatkorn im All.

Leise flüstern deine Winde
die Balladen der Unendlichkeit.
Blitzende Meerschlangen züngeln
auf der silbernen Haut deiner Meere.

In deiner Feuertempel lavaspeienden Schloten
kocht heiß der Erde rotes Blut,
pochend durch das alte Eisenherz
deiner grenzenlosen Liebe,
das in deiner Mitte meditiert,
um den selbstlosen Traum des Menschenglücks.

Verehrung und Anbetung
für den Zauber der Schönheit
deiner Wälder und Gärten,
die Weiten deiner Wüsten,
die Majestät deiner Gipfel
und gewaltigen Eispaläste.

Geliebte Gaya,
die Winde tragen unentwegt
die Meißel des Sandes um dein Haupt,
dein rauhes Antlitz zu glätten.
Reine Wesen ziehen friedlich
entlang deiner heiligen Wege.
Dir zu Ehren leuchtet die Sonne,
deine blaue Perle erhellend
im Dunkel der Endlosigkeit.

Gaya,
Schatzkammer und Wiege der Kostbarkeit des Lebens,
kosmischer Altar und galaktischer Dom,
Pilgerplanet für fremde Welten,
in den Weiten des Universums.

Gott schütze Gaya,
die vom Gebete ihrer Lieben Tag und Nacht um-
schlossen.

* * *

Wir durchschreiten die Endlichkeit,
die Illusion der Zeit,
bis unser Herz weise ist und fähig
zu bedingungsloser Liebe,
zur Erkenntnis des Absoluten,
im Zentrum unseres Selbst.

* * *

Inhalt